Hans Matran

C'EST DU JOLI !

Précédé de "GRAND-MAMY, QUEL NUMÉRO !"

GRIBOUILLAGES : JANRY
GRIFFONAGES : TOME
BARBOUILLAGES : STÉPHANE DE BECKER

DUPUIS

Il y avait déjà LE GRAND SPIROU.
Désormais, il y a LE PETIT SPIROU.

Comprenons-nous : même si LE PETIT est plus petit que LE GRAND (qui est le plus grand)...

...LE PETIT, ce n'est pas le petit frère du GRAND.

LE PETIT SPIROU,
c'est simplement LE GRAND quand il était petit.

Mais attention : en simplifiant, on pourrait penser que LE GRAND est pour les grands lecteurs,
et LE PETIT pour les petits...

Ce serait trop simple.

LE PETIT SPIROU est aussi bien pour petits et grands que LE GRAND (qui a déjà conquis tant de grands et petits).

C'est clair, non ?

Quelques copains...

VERTIGNASSE

Prénom : Antoine. Mon meilleur ami depuis qu'on nous a surpris à épier par le trou de la serrure du vestiaire des filles. Lui et moi, c'est "A la vie, à la mort!" On ne se quittera jamais. Sauf s'il me volait ma fiancée... Mais il ne ferait pas une chose pareille.

SUZETTE

Son vrai nom, c'est Suzanne BERLINGOT. C'est ma fiancée. Enfin, je crois : elle a son caractère. Parfois, je ne sais plus où on en est. Grand-papy prétend que c'est cela, le mystère féminin. Fille du pâtissier. Déteste qu'on la prenne pour une crêpe.

PONCHELOT

Nicolas, dit "BOULE DE GRAS". Mon deuxième meilleur ami. Il mange trop, celui-là. Un jour, il va éclater, tellement il est trop gros. Prétend que c'est un problème d'hormones, ou un truc comme ça. Mon œil! On me fera pas croire qu'une hormone puisse manger autant.

CASSIUS

Ou plutôt Cyprien Futu. Son papa est le cuisinier de l'école et son oncle, chasseur de chenilles grillées à Ouagadougou. Cyprien est drôlement fort. Il pourrait faire boxeur plus tard, mais lui préfèrerait Indien ou alors marabout pour pouvoir changer le préfet en limace des savanes.

MASSEUR

C'est celui avec la tête allongée, les yeux endormis et l'air d'avoir passé les congés sur Mars. En le voyant, je me dis parfois qu'ils ont dû garder le cerveau à la douane. Et qu'il était si petit qu'ils l'ont perdu...

(2)

(Suite page 9.)

... GRAND-MAMY, QUEL NUMÉRO!

Quelques madames...

MADEMOISELLE CHIFFRE

(Son prénom s'rait Claudia, y paraît.) C'est notre institutrice de calcul et plein d'autres choses que je n'arrive pas à retenir quand je suis trop près du tableau où elle écrit. Le calcul, c'est pas trop mon fort. Depuis que Grand-Papy prétend l'avoir vue se baigner dans la rivière dans "le plus simple appareil", plus tard je veux devenir mécanicien. Et même, pour les appareils compliqués aussi. Ça m'fait pas peur.

GRAND-MAMY

J'ai aussi une grand-mère (du côté de mon papa...). C'est un sacré numéro, celle-là! Avec un caractère drôlement coriace, mais je l'aime bien quand même. Paraît qu'elle garde un trésor fabuleux dans son coffre, mais on croit qu'à cause de ses problèmes de mémoire, elle ne se souviendrait plus de la combinaison! Ça rend tout le monde un peu bizarre lors des réunions de famille...

MAMAN

J'vous la présente plus. Elle est là depuis le début. Elle a toujours été là. Elle sera toujours là. Elle m'aimera toujours, d'abord. Si j'y arrive, un jour je deviendrai une sorte de héros dont elle sera fière. J'ai pensé à un genre d'aventurier avec un animal fidèle et un copain qui prendra les baffes pour deux. En attendant, je profite que je suis encore un enfant, et qu'on me pardonnera tout! Et Vert' s'entraîne à prendre les baffes.

ANDRÉ-BAPTISTE DEPÉRINCONU

André-Baptiste n'est pas le fils de l'abbé Langélusse : les fils d'abbés ne peuvent pas avoir de papa. On dit «Mon Père» à l'abbé Langélusse car nous sommes tous ses Enfants. Maman dit que c'est peut-être vrai pour les autres, mais pas pour moi.

(Suite page 47.)

Parfois, j'me dis que Grand-mamy a un sérieux problème de mémoire...

LES PATTES EN L'AIR, VAGABOND! QUE FAIS-TU DANS MA SALLE DE BAINS?!

BANG

TOME & JANRY

MAIS C'EST MOI, LE P'TIT SPIROU! TU VIENS DE M'ORDONNER DE PRENDRE UN BAIN TELLEMENT J'ÉTAIS SALE IL Y A UN QUART D'HEURE!

?

T'AS UNE PREUVE?

JE PLAISANTAIS. T'AVISE PLUS D'INSINUER QUE JE PERDS LA MÉMOIRE.

DING DONG

TIENS? QUI SONNE? JE N'AI JAMAIS DE VISITE!

LÉONTINE, C'EST MOI, FERNAND! TON FACTEUR DEPUIS 30 ANS!

Z'ÊTES NOUVEAU? 'JAMAIS VU VOTRE TÊTE!!

Et parfois, je suis étonné des détails dont elle se souvient.

COCU!

...ET COLLABO EN PLUS, SOUS L'OCCUPA-TION, IL A ÉCRIT TANT DE LETTRES DE DÉNONCIATION QUE JULIEN, LE PAPETIER (L'UN DES AMANTS DE SA 2e FEMME) ÉTAIT TOMBÉ À COURT D'ENVELOPPES

'FONT TOUS COMME SI J'OUBLIAIS TOUT, MAIS...

DIS, GRAND-MAMY, À PROPOS DE MÉMOIRE, JE ME DISAIS QUE CETTE SEMAINE, TU NE M'AVAIS PAS ENCORE DONNÉ MON ARGENT DE POCHE ET...

Je me demande si, en fait, elle ne fait pas un peu semblant, histoire de s'amuser.

TON ARGENT DE POCHE?

DEPUIS QUAND JE TE DONNE DE L'ARGENT DE POCHE?

BIEN ESSAYÉ.

Difficile de savoir...

ET FILE PRENDRE TON BAIN!

Ce

438

10

TOME & JANRY

BEEMBEEE...

ALLOOoo ?
"NOUILLES
BOUILLANTES
EXPRESS" ?

VOUS LIVREZ AUSSI
À DOMICILE ?

VERT'!! VA VITE
ARROSER! CELUI-CI
A FAILLI ATTEINDRE
LA SONNETTE.

TOME & JANRY

TOME & JANRY 438

24

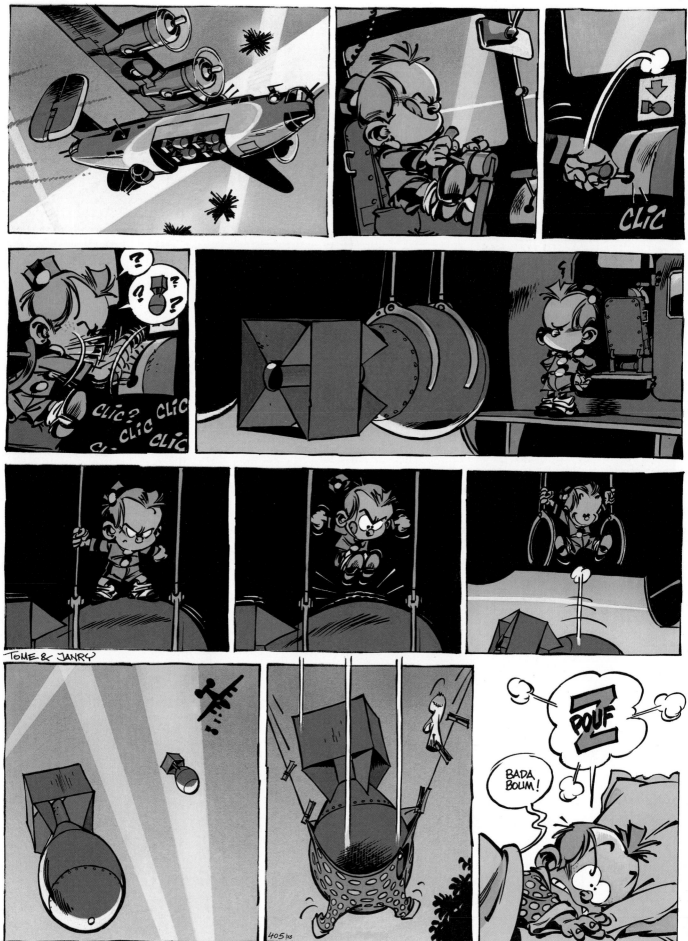

TOME & JANRY

436

TOME & JANRY

418

TOME & JANRY

Moi, les vœux qu'on fait quand passe une étoile filante, je ne marche plus !
Un jour...

...Ou plutôt, une nuit...

OK!

ZAP

?!

?

?

J'vous dis pas la facture du chirurgien esthétique.

TOME & JANRY

440

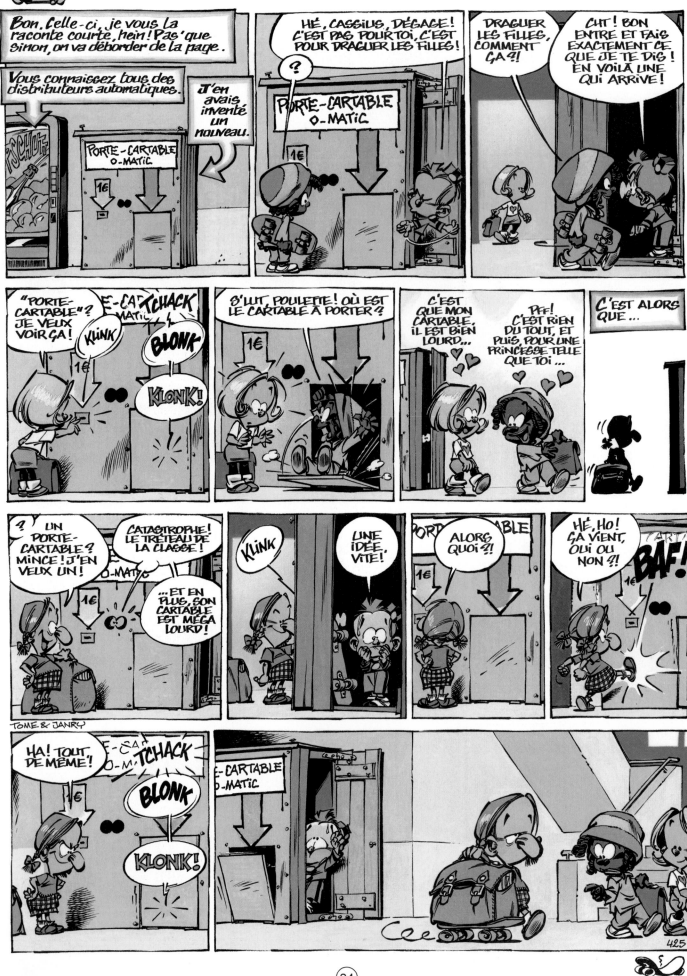

Quelques andouilles...   ...sauf lui!

MONSIEUR MÉGOT

Le prof de gym.
Désiré de son prénom;
indésirable auprès de
ses élèves.
Auteur de la formule :
"Le sportif intelligent
évite l'effort inutile".
Boit.
Fume.
Boit.
Fume.
Craque de partout.

L'ABBÉ LANGÉLUSSE

(Hyacinthe.)
C'est le gardien
vigilant des âmes
qui vivent à l'ombre
du clocher.
Épie mes promenades
avec Suzette
au petit bois.
Parle parfois avec
"Lui"!
Aurait déjà sa place
réservée *"Là-haut"*.
Et on ne rigole pas avec
ces choses-là.

MELCHIOR DUGENOU

C'est le petit ami caché
de la prof de calcul.
Mais c'est un secret,
on ne peut pas le dire.
Surtout quand
Mademoiselle Chiffre
l'emmène pour un bain
de minuit et que nous
sommes dans les buissons
pour les observer. Parfois,
je me dis qu'il a bien de la
chance, "Melchiorichou".

GRAND-PAPY

(Je l'appelle Pépé.)
Aurait connu
les tranchées.
Fume la pipe sans
avaler la fumée.
Lauréat invaincu du
Rallye des Ancêtres
à roulettes.
Porte un dentier
et prend des bains
de pieds aux algues
aromatiques.
Complètement fondu.
C'est ma grande
personne préférée.

SI VOUS AIMEZ COMME MOI "PARIS-FRIPON" ET "FROU-FROU JOURNAL", VOUS AIMEREZ LES ALBUMS DE "SODA", DE "PASSE-MOI L'CIEL" ET LE MAGAZINE SPIROU.

Dépot légal : novembre 2005 — D.2005/0089/239
ISBN 2-8001-3362-7 — ISSN 0776-2844
© Dupuis, 2005.
Tous droits réservés.
Imprimé en Italie.
www.dupuis.com